Seòras Sionnach

AGUS

SEONAIDH SLEAMHAINN

Do Jean, Peter agus Alfie x
T.C.

Do Mum, Dad agus Sherryl x
S.L.

A' chiad fhoillseachadh sa Bheurla 2013 ann am Breatainn le Nosy Crow Earranta,
Crow's Nest, 10a Sràid Lant, Lunnainn, SE1 1QR
www.nosycrow.com

© an teacsa Bheurla le Tracey Corderoy, 2013
© nan dealbhan le Steven Lenton, 2013

Tha Tracey Corderoy a' dleasadh a còraichean a bhith air a h-aithneachadh
mar ùghdar agus Steven Lenton mar neach-deilbh na h-obrach seo.

A' chiad fhoillseachadh sa Ghàidhlig an 2016 le Acair Earranta,
An Tosgan, Rathad Shiophoirt, Steòrnabhagh, Eilean Leòdhais HS1 2SD

info@acairbooks.com   www.acairbooks.com

© an teacsa Ghàidhlig Acair, 2016
An tionndadh Gàidhlig Marie C. NicAmhlaigh
An dealbhachadh sa Ghàidhlig Mairead Anna NicLeòid

Na còraichean uile glèidhte.
Chan fhaodar pàirt sam bith dhen leabhar seo ath-riochdachadh an cruth sam bith,
a stòradh ann an siostam a dh'fhaodar fhaighinn air ais, no a chur a-mach air
dhòigh sam bith, eileactronaigeach, meacanaigeach, samhlachail, clàraichte
no ann am modh sam bith eile gun chead ro-làimh bhon fhoillsichear.

Tha Acair a' faighinn taic bho Bhòrd na Gàidhlig

Fhuair Urras Leabhraichean na h-Alba taic airgid bho Bhòrd na Gàidhlig
le foillseachadh nan leabhraichean Gàidhlig Bookbug.

Gheibhear clàr catalog CIP airson an leabhair seo
ann an Leabharlann Bhreatainn.

LAGE/ISBN 978-0-86152-584-3

Clò-bhuailte ann an Sìona

9 8

Seòras Sionnach

AGUS

SEONAIDH SLEAMHAINN

Tracey Corderoy

Na dealbhan le

Steven Lenton

A' ghealach aig a h-àirde
is daoine nan cadal,
tha dà chù shuarach
a' liùgadh tron bhaile.

Ràinig iad dhachaigh is iad le chèile busach,
"Dè math bhith ris an obair seo
is gun sinn air càil a thrusadh?

Aon damhan-allaidh
airson ar cuid saothrach.

Tha cho math dhuinn," arsa Seòras,
"a bhith air tuath a' ruith chaorach!"

"Tha thu ceart," dh'aontaich Seonaidh. "Chan eil sinn math air an obair!
Agus tha àitichean eile às an deigheadh ar sgiùrsadh . . .
am banca is am bùidsear, is iomadach bùth.
An leabharlann, àitichean-bidhe . . .

. . . agus fìu 's an sù!"

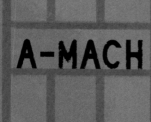

Dh'èigh Seonaidh gu h-obann, "Feumaidh sinn coimhead ri seo às ùr.
Tha fios is cinnt gur coin sinn le tùr!
Ar nàbaidhean!" dh'èigh e, aig àirde mhòr a' chlaiginn.
"Fan ort," arsa Seòras, "chan eil iad a' dol a-mach air toll dorais!"

Bha Seòras air bhioran. "Bheir sinn cuireadh dhaibh gu tì!
Gu **pàrtaidh**," ars esan, "a bhiodh freagarrach do rìgh!
An uair sin, nuair a bhios iad cruinn-còmhla san fhàrdaich,
thèid sinne a ghoid bhon a h-uile mac màthar!"

sin sinne
a' dol a ghoid

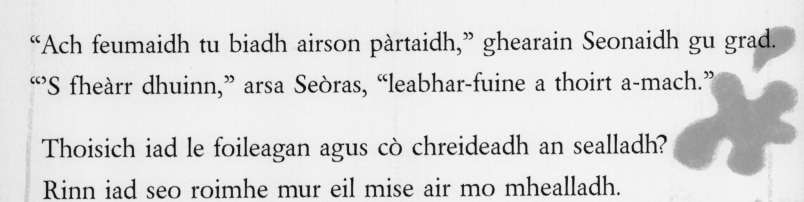

"Ach feumaidh tu biadh airson pàrtaidh," ghearain Seonaidh gu grad.

"'S fheàrr dhuinn," arsa Seòras, "leabhar-fuine a thoirt a-mach."

Thoisich iad le foileagan agus cò chreideadh an sealladh?

Rinn iad seo roimhe mur eil mise air mo mhealladh.

"A-nis bonnaich bheaga!" dh'èigh Seòras gu sgiobalta.

"Agus cuiridh sinn orra silidh, còmhdach siùcair is siristean!"

siùcar

B' e seo là a' phàrtaidh agus thàinig na nàbaidhean a-steach
. . . gus faicinn air an son fhèin cèicean le iomadh dath!

Abair thusa toileachas; chan fhaca iad a-riamh a shamhail.
"Cho blasta!!" "Cho milis!"
"Na cèicean as fheàrr
anns a' bhaile!"

"Uill, tapadh leat,"
thuirt Seòras gu moiteil.
"Ud, na can guth!"
arsa Seonaidh gun nàir'.
"Ithibh na thogras sibh
is lìonaibh ur broinn."

"A-mach à seo leinn," thuirt Seòras.
"Tha iad uile ag òl tì.
Feumaidh sinn tòiseachadh a' goid.
Siuthad – lean mi!"

A-mach air an uinneig
gun do dh'fhalbh na seòid,
ach bha nàbaidh ag èisteachd
is chual' e gu leòr.

"'S e mèirlich a th' annta!"
thuirt e gu crosta.
"Tha mi a' smaoineachadh gu bheil
làn àm stad a chur
air an dol-a-mach seo."

Dh'fhalbh iad le trotan a-mach gun dàil,

gun sìon a dh'fhios gun robh càch air an sàil.

"SEALL!" thuirt Seonaidh, agus iad a' siapadh tro dhoras.

"Nach math gun dh'fhalbh sinn, b' fhiach ar turas!"

Gu h-obann,
dh'fhosgail an doras,
"Stadaibh dìreach
far a bheil sibh!"
dh'èigh iad uile, "no cuiridh
sinn a dh'iarraidh na poilis."

Ò, mo chreach, thòisich an cuilean beag a' rànaich.
"An teadaidh agamsa aig Seonaidh na ghàirdean!"
"Ist, ist, na bi a' caoineadh," thuirt Seòras,
"Bheir Seonaidh air ais e
is thig sinn gu còrdadh."
"Tha sinn uabhasach duilich,"
dh'èigh iad le chèile.
"Airson a bhith cho
carach is an sàs
ann am mèirle."

"Tha sinn a' faicinn a-nis cho ceàrr agus a bha sinn.
Ach feumaidh sinn obair fhaighinn . . . obair a tha càilear."
"Tha fios a'm!" ars am pùdail pinc, gu pongail.
"Carson nach fosgail sibh cafaidh an àite a bhith ri goid is brundal?"

"Cafaidh?" thuirt Seòras.
"Mi fhèin agus Seonaidh?"

"Ò, gu dearbh!" fhreagair iad uile.
"Dè a b' fheàrr na cupa tì is
bonnaich!"

Mus do sheall thu riut fhèin, air prìomh rathad a' bhaile,
dh'fhosgail an cafaidh le cèicean, briosgaidean is slaman.
Bha na bùird is na sèithrichean
le peanta geal agus pinc.
Bonnaich bheaga bhlasta,
gu leòr ann ri ith!

AIR REIC
£2.00

"Hoigh, a Sheonaidh," thuirt Seòras le pròis.
"Tha ar nàbaidhean - is eile - ag iarraidh a-steach!"
Bha Seonaidh aig an uinneig ann an currac glan, geal.
Gun mèirle air inntinn,
no sùil air ais.